POÈMES À RIRE ET À JOUER

Pour Chen Halevy,
joueur de clarinette.
É. B.

Pour Fantine,
walounette-mon amour,
petit chat
et pâte feuilletée.
É. H.

Dans la même collection :
Poèmes à dire et à manger, 2002
Poèmes à lire et à rêver, 2003

Conception graphique
et réalisation :
Laurence Moinot
Pour la présente édition :

Dépôt légal : octobre 2004
ISBN : 2-02-063084-2
N° 63084-1
Loi 49-956 du 16 juillet 1949
sur les publications destinées
à la jeunesse

Imprimé en Espagne
www.seuil.com

POÈMES

Textes choisis par Élisabeth Brami,

dessins d'Emmanuelle Houdart

Seuil jeunesse

Chapitre I

Jouons partout, par tous les temps

Jouons dedans

Comptine du vantard

Des Playmobils ?
J'en ai dix mille.
Des cubes en bois ?
Trois mille vingt-trois.
Des déguisements ?
Plus de deux cents.
Des illustrés ?
Quelques milliers.
Et des gommettes ?
Cinq cent trente-sept.
Mais de mikado,
Zéro !

Jouons

Quel joueur
je suis !
je ne
joue
jamais en
janvier au
jardin ; mais en
juillet
je joue
joyeusement au
jeu
joli du
jongleur aux
jarrets de
judoka
signé : « Je »

Jean Lor

Y EN A QUI ONT DES TROMPINETTES

Y en a qui ont des trompinettes
Et des bugles
Et des serpents
Y en a qui ont des clarinettes
Et des ophicléides géants
Y en a qu'ont des gros tambours
Bourre Bourre Bourre
Et ran plan plan
Mais moi j'ai un mirliton
Et je mirlitonne
Du soir au matin
Moi je n'ai qu'un mirliton
Mais ça m'est égal si j'en joue bien

Oui mais voilà, est-ce que j'en joue bien ?

Boris Vian

Concerts

C'est à l'ombre
D'un concombre
– La, sol, mi –
Qu'à midi
Les fourmis
– Mi, sol, do –
Donnant aux
Vermisseaux
Effarés
– Sol, fa, ré –
Des concerts
Respighi,
Stravinski,
Honeger
Et Milhaud
– Ré, si, do –

Maurice Carême

Un jour, un voulut

Un jour, un voulut
Jouer au cerceau
Avec le zéro.

Il courut, courut
À en perdre haleine
Jusqu'à la dizaine.

Alors, par caprice,
Un devenu dix
Dribbla la centaine,

Tripla le zéro
Et s'arrêta pile
En plein dans le mille.

Pierre Coran

L'autre jour dans ma chambrette,
Ma chambrette qui est là-haut,
Je faisais mon petit ménage
En jouant du piano,
Do ré mi fa sol la si do.
Do si la sol fa mi ré do.

Je te donne pour ta fête
Un chapeau couleur noisette
Un petit sac en satin
Pour le tenir à la main
Un parasol en soie blanche
Avec des glands sur le manche
Un habit doré sur tranche
Des souliers couleur orange :
Ne les mets que le dimanche
Un collier, des bijoux
Tiou !

Max Jacob

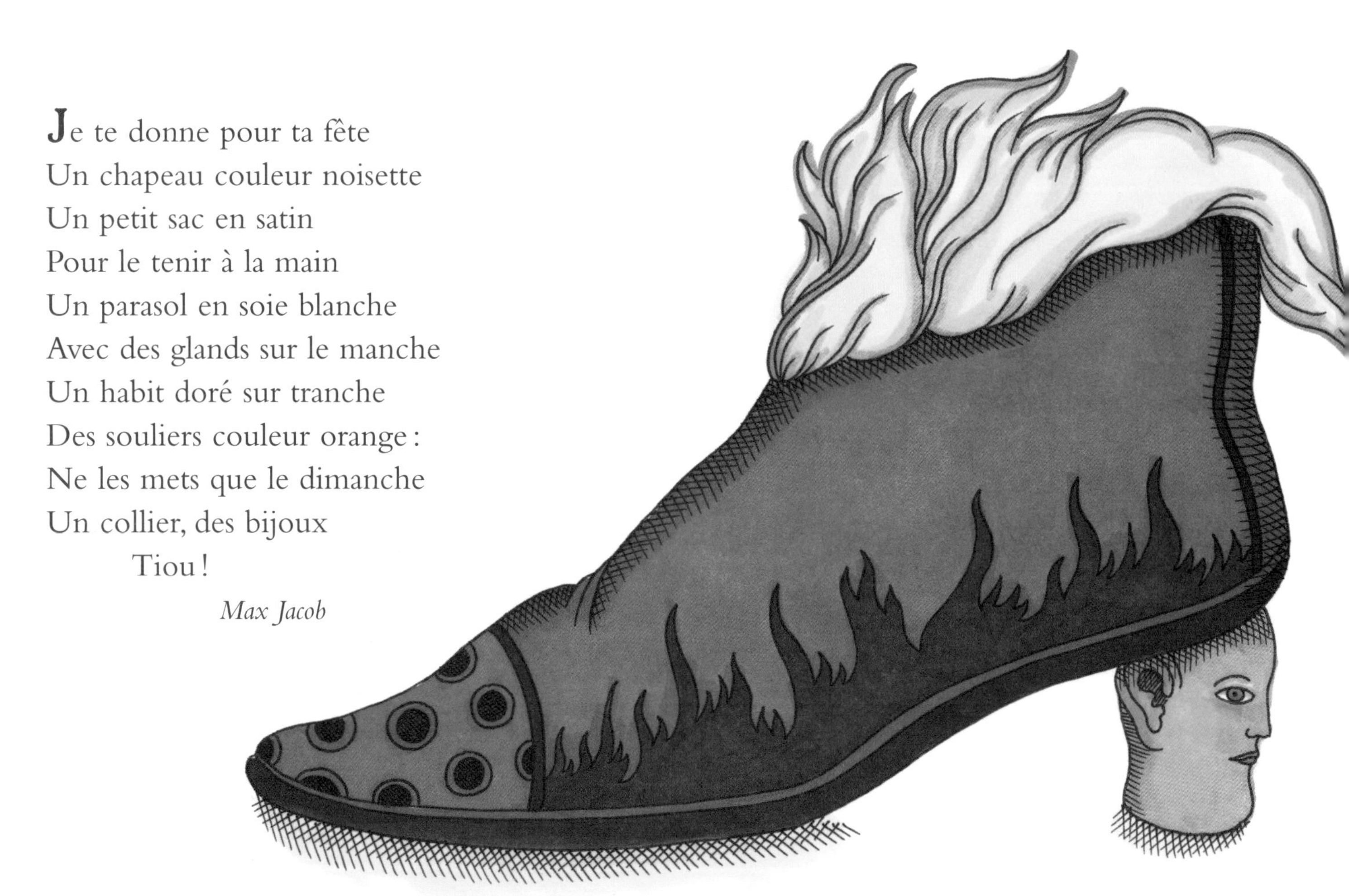

LES YEUX DE LA POUPÉE

Petite fille qui t'endort
Ton âme est bien préoccupée.
Aurais-tu donc quelque remords ?
Prends garde
Ta poupée
Te regarde.

Sans qu'on le sache, as-tu mal ?
Loin de ta maman occupée
As-tu battu le plus petit ?
Prends garde
Ta poupée
Te regarde.

Qu'elle ait des yeux noirs,
[bleus ou verts,
Qu'elle soit neuve ou bien râpée,
Ta poupée aux yeux ouverts !
Prends garde !
Ta poupée
Te regarde.

Lucie Delarue-Mardrus

LA DÎNETTE

Patience, patience, poupées !
Je ne puis servir à la fois
Des gâteaux et du chocolat.
Comme vous, je n'ai que dix doigts.
Vous ai-je si mal élevées
Que vous ne puissiez demeurer
Plus calmes que de petits rats ?
Patience, patience, poupées !
On dirait que depuis des mois
Vous n'avez vraiment rien mangé.
Hier, n'ai-je pas partagé
Mon gros nougat avec vous trois ?
Heureusement que notre chat
Dédaigne cake et chocolat :
Vous lui videriez son écuelle
Derrière mon dos, péronnelles !

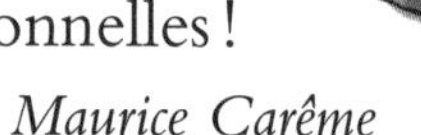

Maurice Carême

MON LIT EST UN BATEAU

Mon lit est un petit bateau ;
Nounou m'aide à y embarquer,
Me met l'habit de matelot,
Me pousse dans l'obscurité.

De nuit, à bon bord, je dérive,
Salue mes amis sur la rive ;
Je ferme les yeux, vogue au loin,
Et ne vois ni n'entends plus rien.

Parfois j'emporte des objets
Qu'emportent les bons matelots :
Peut-être un morceau de gâteau,
Ou bien encor quelques jouets.

Toute la nuit nous dérivons ;
Mais quand le jour revient briller,
Rentré dans ma chambre, au ponton
Je vois mon vaisseau amarré.

Robert Louis Stevenson

Trésors

Plus riche qu'un corsaire
Dans mon coffre à trésors
Je ne mets pas de l'or,
Des bijoux, des diamants,

Mais des billes de verre
Où je vois l'arc-en-ciel,
Un bouchon de cristal
Enfermant le soleil,

Une loupe, un aimant,
Un vieux fer à cheval,
Des cailloux du rivage
Couleurs de feu, de miel,

Et cet anneau magique
Qu'il suffit que j'astique
Pour partir en voyage
Dans le berceau des mers.

Louis Guillaume

UN JEU TRÈS AMUSANT

Un bateau fait, dans l'escalier,
Des chaises de chambre à coucher,
Rempli de coussins du divan
Pour naviguer sur l'océan.

Nous avions des clous, une scie,
Le seau d'eau de la nursery.
« Et prenons aussi, a dit Tom,
Un morceau de cake, une pomme ».
Pour Tom et moi, c'était assez
Pour aller voguer, jusqu'au thé.

Nous avons navigué longtemps,
C'était un jeu très amusant ;
Mais Tom, soudain, tomba à l'eau
– Et je restai seul matelot.

Robert Louis Stevenson

JACK POT

C'est le zig
c'est le zag
c'est le choc
c'est la chute
c'est l'envol
répétés.

C'est la chute
c'est le choc
c'est la fuite
c'est le chant
d'une bille
somnambule
et droguée.

C'est le zig
c'est le zag
c'est l'envol
d'une bulle
c'est le chant
c'est le choc
de chiffres chromés
qui tintinnabulent.

Et ça cogne
et c'est dur
et ça plane
sous faux palmiers
et ça crie
ça catapulte
et c'est sûr
on va gagner !

Les métaux brillent
les palmiers vibrent
la sphère est ivre
les yeux hallucinés.
La vie est une bille
la vie est une bulle
traquée
sur un tremplin
lumineux
et
faussé.

Lucie Spède

Assis sur ton camion
tu fais le tour de la table
comme on fait le tour de la terre
en quatre-vingts enjambées
La chaise est un iceberg
que tu contournes
d'un coup de volant
et pour toi le soleil se lève
dans le four du micro-monde
Les uns te disent marin
les autres camionneur
À entendre la kyrielle de mots
que tu catapultes
pour convaincre ta sœur
de lever ses jambes-passage à niveau
je te crois plutôt discoureur

Joël Sadeler

POUR COMBATTRE

Le roi, toi et moi,
Nous sommes trois.
Mais pour combattre,
Nous sommes quatre :
Le Chat botté
A son épée ;
Le roi, son arc
Déjà bandé ;
Toi toujours prêt,
Ton pistolet
Et moi, mon sabre
Dur combat
Bien qu'il ne soit
Qu'en bois.

Maurice Carême

Mandarin tout déguisé
Trois boutons à ton gilet,
Un ici, l'autre là,
Le dernier c'est toi qui l'as !

Monopoly-i-i
les biftecks sont pourris
et les garçons aussi
c'est naturel
que les filles sont plus belles
et les garçons plus bêtes
Monopoly-i-i

One two three,
Mat échec oubli,
Vole, vole,
Vole, vole!
One two three,
Mat échec oubli,
Vole, vole au Paradis !

LE DESSIN

J'ai du papier, un crayon neuf
Pour dessiner la route ;
Sur la route, je fais un bœuf,
La vache, je l'ajoute.

La pluie ici ; là, le jardin ;
Au jardin, quinze points,
Quinze pommes... Le doux festin
Que la pluie n'atteint point !

J'ai fait le bœuf couleur de miel,
La route en orangé,
Mais les nuages dans le ciel,
J'ai dû les arranger...

Je les perce, je les lacère
D'une flèche et soudain
On voit éclater le tonnerre
Et la foudre au jardin.

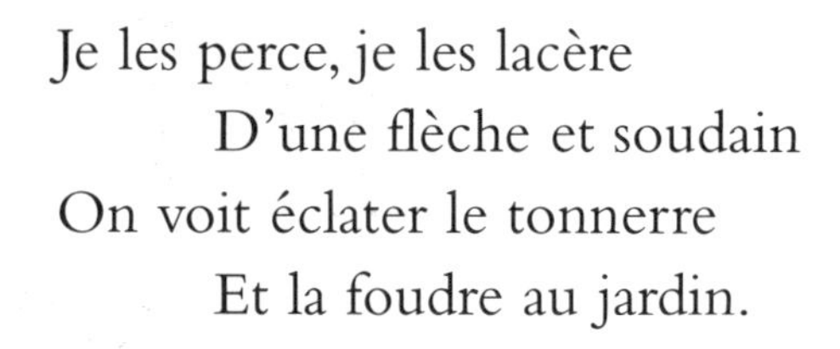

Barrons les pommes d'un trait noir !
Car cela signifie
Qu'un coup de vent les a fait choir
Que le vent s'amplifie.

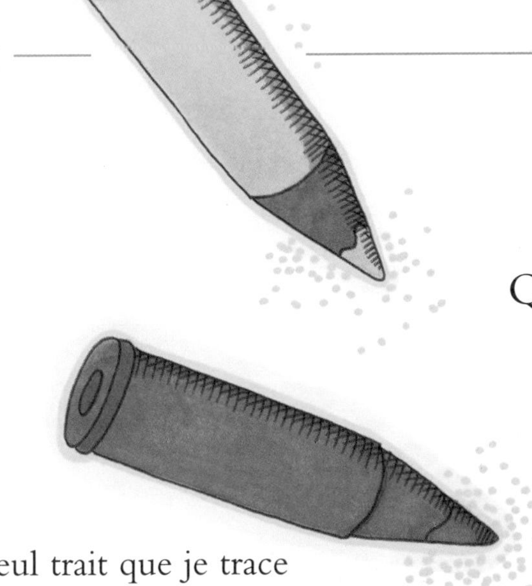

Que n'ai-je un pinceau
Qui puisse peindre les fleurs du prunier
Avec leur parfum !

Shôha

Avec ce seul trait que je trace
La pluie entre au jardin,
Mais, brusquement, mon crayon casse,
L'encre est sèche soudain.

Sur la table posant la chaise,
Je suis monté. Enfin,
Bien que raté, d'une punaise
J'accroche mon dessin.

Serge Mikhalkov

L'ARTISTE

Il voulut peindre une rivière ;
Elle coula hors du tableau.

Il peignit une pie-grièche ;
Elle s'envola aussitôt.

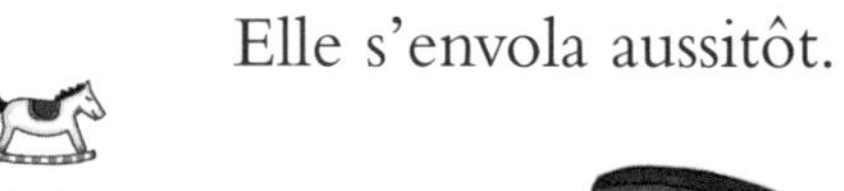

Il dessina une dorade ;
D'un bond, elle brisa le cadre.

Il peignit ensuite une étoile ;
Elle mit le feu à la toile.

Alors, il peignit une porte
Au milieu même du tableau.

Elle s'ouvrit sur d'autres portes,
Et il entra dans le château.

Maurice Carême

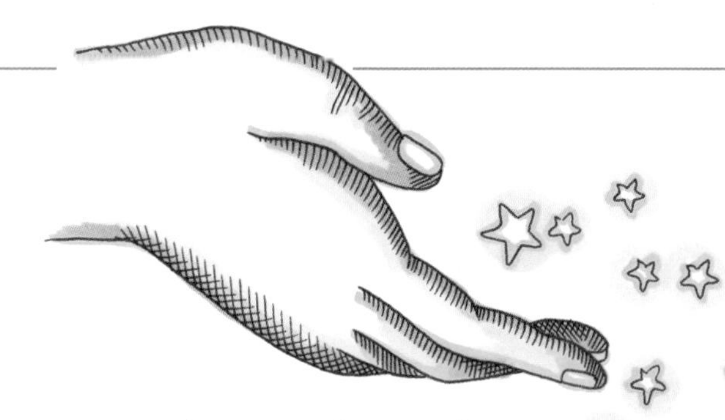

POUR UN ART POÉTIQUE (SUITE)

Prenez un mot prenez-en deux
faites cuire comme des œufs
prenez un petit bout de sens
puis un grand morceau d'innocence
faites chauffer à petit feu
au petit feu de la technique
versez la sauce énigmatique
saupoudrez de quelques étoiles
poivrez et puis mettez les voiles
où voulez-vous donc en venir ?
À écrire
Vraiment ? à écrire ?

Raymond Queneau

J'AI RETOURNÉ LA CARTE CŒUR

J'ai retourné la carte cœur
Et j'ai vu une belle dame
Avec les mains pleines de fleurs
Mais des bijoux au lieu d'une âme
Son sourire avait l'air trop dur
Ses deux têtes me faisaient peur
J'ai de nouveau sauté le mur
J'ai retourné la carte cœur

Michel Piquemal

Spleen

Il pleut, et la plage se vide.
Où irons-nous, tout est mouillé ?
Plus d'horizon, plus de voiliers.
La digue elle-même est livide.

Sommes-nous encor condamnés
Au loto, au thé citronné,
À la fadeur des petits fours,
Aux palabres, aux calembours ?

Seul, sur le livre ouvert du quai
Dont l'averse tourne les pages,
Navré de devoir s'embarquer,
Les yeux à terre, un marin passe.

Maurice Carême

Je marche sur la forêt couchée
dans ce parquet bien ciré.
Je marche sur des hivers et des étés,
sur la branche où les oiseaux ont chanté,
je marche sur l'arbre mort
et j'ai envie de m'agenouiller.

Marie-Claire d'Orbaix

C'EST DEMAIN DIMANCHE

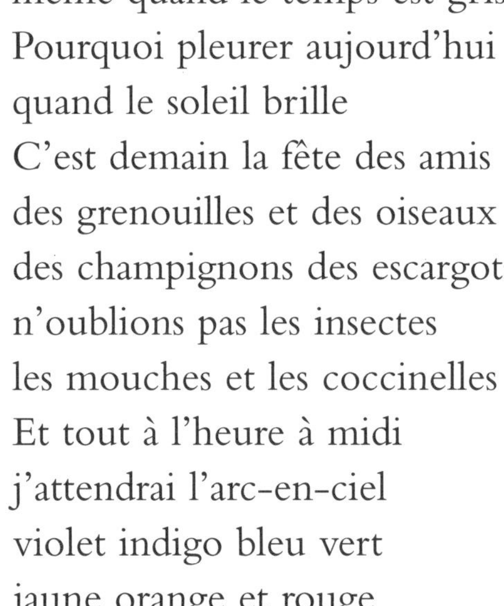

Il faut apprendre à sourire
même quand le temps est gris
Pourquoi pleurer aujourd'hui
quand le soleil brille
C'est demain la fête des amis
des grenouilles et des oiseaux
des champignons des escargots
n'oublions pas les insectes
les mouches et les coccinelles
Et tout à l'heure à midi
j'attendrai l'arc-en-ciel
violet indigo bleu vert
jaune orange et rouge
et nous jouerons à la marelle

Philippe Soupault

Jouons dehors

PHRASES

J'ai tendu des cordes de clocher à clocher ; des guirlandes de fenêtre à fenêtre ; des chaînes d'or d'étoile à étoile, et je danse.

Arthur Rimbaud

AU BORD DE LA MER

Au bord de la mer, on m'a donné
Une pelle de bois.
Dans le sable que j'ai creusé,
Mes trous étaient béants comme des tasses.
Dans chaque trou la mer monta
Jusqu'à n'y plus laisser de place.

Robert Louis Stevenson

Ah ! mon beau château,
Ma tantire, lire, lire.
Ah ! mon beau château,
Ma tantire, lire, lo.

Le mien est plus beau,
Ma tantire, lire, lire.
Le mien est plus beau,
Ma tantire, lire, lo.

LE PETIT SEAU

On avait beau lui dire :
« On n'a jamais vidé la mer
Avec un petit seau en fer. »
Il se contentait de sourire
Et de remplir
Son petit seau de fer
Pour le vider loin de la mer.

Maurice Carême

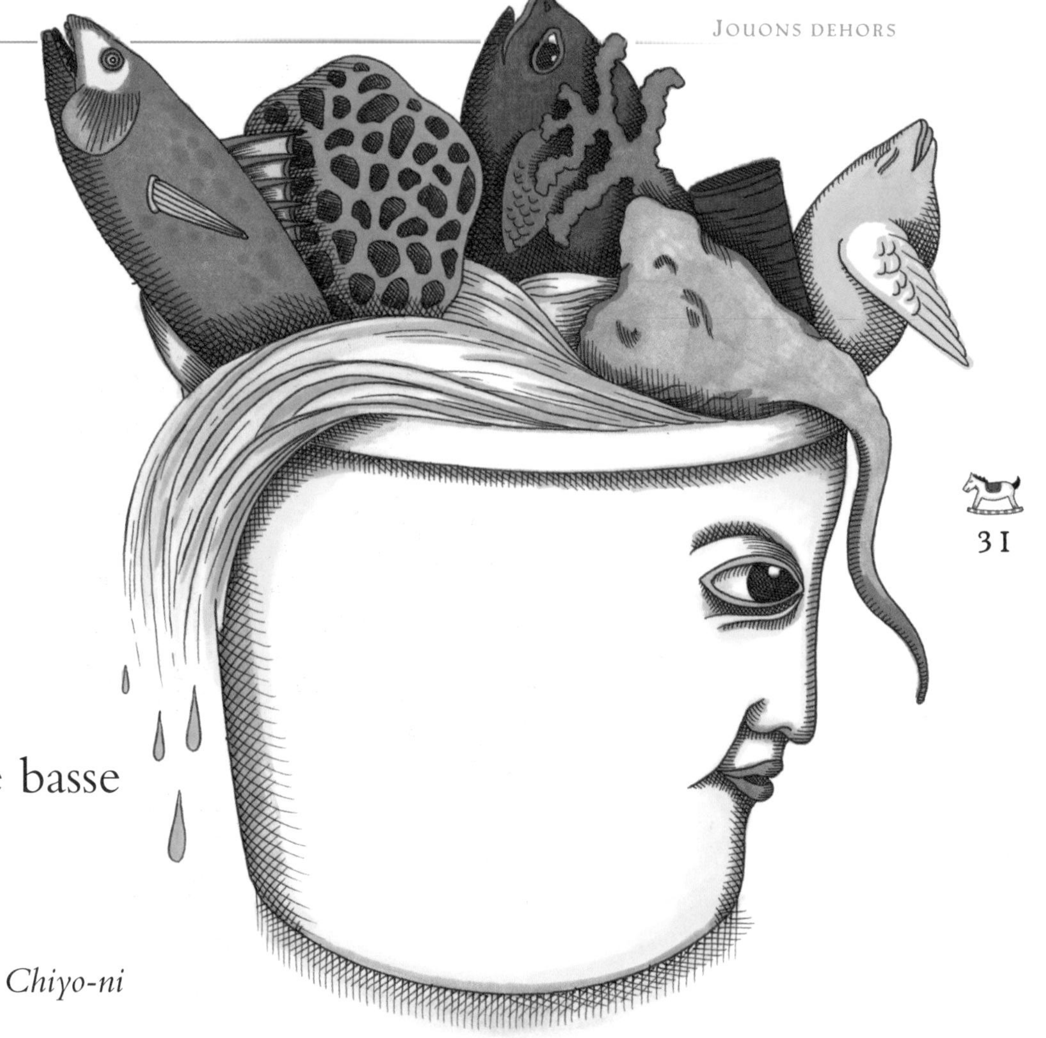

Sur la plage à marée basse
tout ce qu'on ramasse
bouge

Chiyo-ni

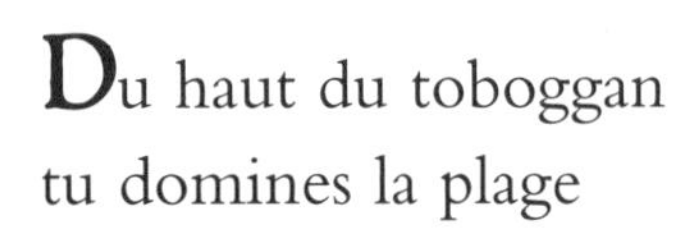

Du haut du toboggan
tu domines la plage

tu envoies des discours
de sable
et des baisers choco-B. N.
au monde entier

je sais
pourquoi

j'étais comme toi
avant de glisser
sur le serpent de bois
du toboggan usé

Joël Sadeler

NURSERY RYTHME – À LA FRANÇAISE

On a vu sur les falaises
d'Eze
Oui, sur le plus haut de ces rochers,
Un bonhomme qui prenait ses aises
Et sautait même
à cloche-pied !

Ulrike Blatter

Bestiaire du coquillage

Si tu trouves sur la plage
un très joli coquillage
compose le numéro
Océan 0.0.

Et l'oreille à l'appareil
la mer te racontera
dans sa langue des merveilles
que papa te traduira.

Claude Roy

Premier jour

La mer me regarde,
elle me fait un signe de la vague
et sa grande paume s'abat devant moi.
Elle me lance des coquillages
comme on joue aux billes.
Ses lèvres bleues s'étirent
et se retroussent
pour me sourire.
Elle avance, recule, hésite,
me lèche les pieds.
Je la compare à mon gros chien
quand il veut jouer.
La mer me regarde.
Elle sait bien
qu'avec mes cheveux de foin,
mes yeux de forêt,
elle sait bien, la mer,
qu'avec ma tête pleine d'arbres,
je ne lui appartiens pas.

Anne-Marie Derèse

Été

C'est toujours l'été dans ma mémoire
l'odeur du pollen jusque dans nos phrases
le ballet des insectes au creux de nos rires
notre jardin ouvert à la saison des extravagances
Un fétu nous arrête et nous enchante
Le jour est comme un rêve mis au pas du réel
Nous sommes au monde pour toujours !
Et c'est comme une enfance à portée de clairière
la rive de l'été au bord de nous…

Béatrice Libert

LE BALLON

La nuit tombe.
De doux lampions s'allument.
La plage est lisse comme un œuf.
L'enfant étrenne un ballon neuf
Et le fait monter vers la lune.
La lune tombe
Et le ballon s'allume.
C'est toujours extraordinaire
Que le spectacle d'un enfant
À ras de digue, à la lisière
D'un monde où s'engloutit le temps,
En train de jouer comme si
C'était une affaire d'État,
Tenant la lune entre ses doigts
Comme une médaille, un grigri,
Comme s'il était innocent
Ou plus loyal que l'Océan !

Catherine Paysan

ODELETTE

Un petit roseau m'a suffi
Pour faire frémir l'herbe haute
Et tout le pré
Et les doux saules
Et le ruisseau qui chante aussi ;
Un petit roseau m'a suffi
À faire chanter la forêt. (...)

Henri de Régnier

CHUT

Dans la prairie
Aux boutons d'or,

Il te suffit
De souffler fort,

De souffler fort,
Sur la bougie,

Sur la bougie
D'un pissenlit

Pour que, sans bruit,
Tu voies éclore

Toute une pluie
De météores.

Pierre Coran

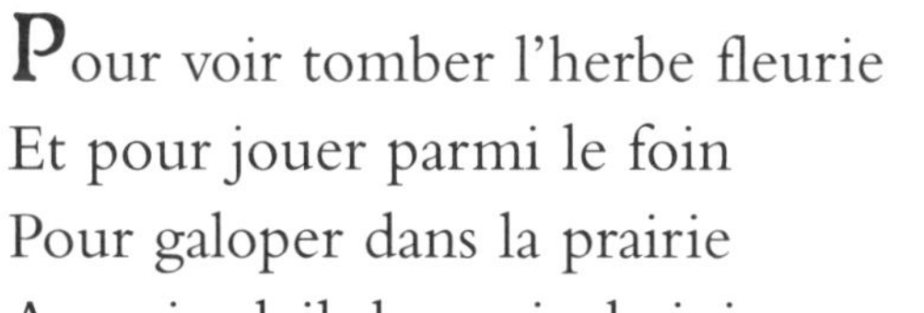

Pour voir tomber l'herbe fleurie
Et pour jouer parmi le foin
Pour galoper dans la prairie
Au gai soleil du mois de juin
Trin trin trin, lève-toi matin !

Ernest Perrochon

AU BORD DE L'EAU VERTE...

(...) Les moucherons minces volent sur l'eau,
sans changer de place.
En se croisant ils passent, puis repassent,
vont de bas en haut.

Je tape les herbes avec une gaule
en réfléchissant
et le duvet des pissenlits s'envole
en suivant le vent.

Francis Jammes

Délice
de traverser la rivière d'été
sandales en mains !

Buson

Dans la cour de récréation

Dans la cour de récréation le moindre mot
faisait boule de neige.

Il n'y avait plus de buvard sur les pupitres,
plus de pupitres,

Il y avait dans le ciel le brouillon des nuages,
le ciel,

L'orage caressait les chardons, les rivières
trouvaient de l'or,

Le temps se reposait sous l'oreiller, le secret
se regardait dans le miroir,

Christian Dotremont

Dans la cour de l'école
un serpent tout blanc
est-ce une ficelle
est-ce une bretelle
est-ce une échelle ?
Monte sur sa queue
pour voir un peu
s'il veut piquer
saute de côté
s'il reste plat
c'est bon pour toi
Ton serpent blanc
est une marelle
va jusqu'au ciel

Joël Sadeler

Une boule, deux boules, trois boules
Roulent
Dans un jeu de boules.
Il y a trois boules
Qui sont bleu, blanc, rouge !

Ainsi font, font, font,
Les petites marionnettes,
Ainsi font, font, font,
Trois p'tits tours et puis s'en vont.

Au jardin public
dans la cabane de Robinson
tu n'es ni Tarzan
ni aventurier
mais épicier
À des chalands de vent
tu vends
boîtes de petits pois
aux cailloux-carottes
marrons de chocolat
haricots verts en brindilles
extra-fines
Et avec ça ?
interroges-tu
Une monnaie de postillons
à la bouche

Et avec ça
La naïveté de l'enfance
en prime

Joël Sadeler

Ballade des jardins et des ours de Paris

Un ours joue de la clarinette
Un autre de la trompette
À la Villette...

Au Parc des Buttes-Chaumont,
À pleins poumons,
Un ours joue du cornet à pistons,
Son frère l'accompagne au mirliton.

Au Jardin du Luxembourg
Un ours un peu balourd
Tape tape sur son tambour.

Aux Tuileries
Au Parc Montsouris
Un ours tient la batterie.

C'est le père des ours,
Martin, dans sa tanière,
Qui leur enseigne les bonnes manières
Et leur donne le la,
Porte des Lilas.

Bernard Jourdan

Chevaux de bois

À Pau, les foires Saint-Martin,
C'est à la Haute Plante.
Des poulains, crinière volante,
Virent dans le crottin.

Là-bas, c'est une autre entreprise.
Les chevaux sont en bois,
L'orgue enrhumé comme un hautbois,
Zo' sur un bai cerise.

Le soir tombe. Elle dit : « Merci,
« Pour la bonne journée !
« Mais j'ai la tête bien tournée... »
– Ah, Zo' : la jambe aussi.

Paul-Jean Toulet

Le cheval du manège

Il y a un cheval devant.
Il y a un cheval derrière.

Et c'est mon cheval cependant
Qui est le premier du manège.

Il est blanc comme de la neige
Qui scintille sous la lumière.

Il a dans le flanc trois miroirs
Où je me penche pour me voir.

Et une belle queue en bois
Qui est aussi large que moi.

Il est si vif qu'il sauterait
Du manège si je voulais.

Mais je le tiens d'une main ferme.
Il sait que c'est moi qui gouverne.

Il y a un cheval devant.
Il y a un cheval derrière.

Il faut qu'il tourne patiemment
À sa place : c'est la première.

Maurice Carême

Chevaux de bois

Tournez, tournez, bons chevaux de bois,
Tournez cent tours, tournez mille tours,
Tournez souvent et tournez toujours,
Tournez, tournez au son des hautbois. (…)

Paul Verlaine

Petits chevaux

Pégases, mes jolis pégases,
mes chers petits chevaux de bois !

J'ai connu, quand j'étais enfant,
la joie de faire plus d'un tour
sur un coursier tout rutilant,
par une nuit où c'était fête.

Dans l'air obscurci de poussière
pétillaient les chandelles pâles
et le bleu de la nuit brûlait,
la nuit ensemencée d'étoiles.

Ô allégresses enfantines
qui ne coûtaient qu'un sou de cuivre,
pégases, mes jolis pégases,
mes chers petits chevaux de bois !

Antonio Machado

Poème à crier et à danser (Essai de poésie pure)

Chant 1

an an an an an an an an
an an an
iiii i i
pouh pouh pouh pouh rrra
si si si
drrrrrr oum oum
an an an an
aaa aaa aaa tzinn
iii iiiiii
ha ha ha ha ha ha ha
rrr rr rrr rr r rrr

Pierre Albert-Birot

L'enfant conduit au cirque

À la voisine venue pour mener
  [son enfant
au cirque dont roulaient les tambours
il ne faut pas disait la mère ardente
qu'il soit mis comme un va-nu-pieds
elle tendait donc les plis
du tablier noir
y grattant d'un ongle brisé
des larmes de boue.
Un soir de beauté descendait
qui s'épanouirait
à la fin du cirque
en grande nuit glacée.

Jean Follain

Au zoo

Qu'est-ce qui t'a le plus plu ?
Demande la maman.
L'éléphant ?
Dont la trompe gourmande
Ramasse tout ce qu'on lui tend,
Ou le gros ours débonnaire ?
Qui se balance lentement,
Ou... les lions, rugissants,
Ou... les serpents ?
Non, répondit l'enfant,
C'est la petite fille, là-bas,
Qui voit quelque chose
Que je ne vois pas.

Daniel Krakowski

À quoi jouais-tu ?

À quoi jouais-tu, ma mère,
Lorsque tu avais sept ans ?
Quelle ronde chantais-tu, ma mère,
Quand revenait le mois d'avril ?

Car tu as été une enfant,
Tu as bondi à travers champs,
Tu avais des sabots à fleurs
Et un tablier de couleur,
Tu aimais voler des groseilles
Et importuner les abeilles
Et tu fuyais souvent l'école
Pour flâner le long du ruisseau.
On me l'a dit encor tantôt...

Et malgré tout ce qu'on m'a dit,
Je te vois mal en ce temps-là.
Je t'imagine chaque fois,
Tant je t'ai connue grave et bonne,
Que tu n'as pas été enfant
Et que Dieu te créa maman
Du premier geste de la main
Comme il créa l'épi de blé
Et l'humble étoile du berger.

Maurice Carême

Tout n'est que ronde

Les astres sont ronde
de garçons qui jouent
à voir sur la Terre.
Les blés sont des tailles
de petites filles
qui jouent à ployer.

Les fleuves sont ronde
de garçons qui jouent
à se retrouver
dans la mer. Les vagues
sont ronde de filles
qui jouent à serrer
dans leurs bras la Terre.

Gabriela Mistral

Fugue

Une joie éclate en trois
temps mesurés de la lyre
Une joie éclate au bois
que je ne saurais pas dire
Tournez têtes Tournez rires
pour l'amour de qui
pour l'amour de quoi

pour l'amour de moi

Louis Aragon

Comme elle fut bientôt
supérieure à nos forces
la boule de neige !

Yaezakura

La danse de nuit

Ah ! la danse ! la danse
Qui fait battre le cœur !
C'est la vie en cadence
Enlacée au bonheur !

Accourez, le temps vole,
Saluez, s'il vous plaît ;
L'orchestre a la parole
Et le bal est complet.

Sous la lune étoilée
Quand brunissent les bois
Chaque fête étoilée
Jette lumière et voix.

Les fleurs plus embaumées
Rêvent qu'il fait soleil,
Et nous, plus animées,
Nous n'avons pas sommeil.

Flamme et musique en tête
Enfants, ouvrez les yeux,
Et frappez, à la fête,
Vos petits pieds joyeux. (…)

Marceline Desbordes-Valmore

Grand-mère

Grand-mère
Se courbe toujours vers la terre
Et au début
Je me demandais ce qu'elle avait perdu ?

Mais elle n'a rien perdu du tout
Elle a plein de tours polissons
Et si elle plie comme ça les genoux

À les rentrer dans le menton
C'est pour mieux jouer à saute-mouton.

René de Obaldia

Chanson de grand-père

Dansez, les petites filles,
Toutes en rond.
En vous voyant si gentilles,
Les bois riront.

Dansez, les petites reines,
Toutes en rond.
Les amoureux sous les frênes
S'embrasseront.

Dansez, les petites folles,
Toutes en rond.
Les bouquins dans les écoles
Bougonneront.

Dansez, les petites belles,
Toutes en rond.
Les oiseaux avec leurs ailes
Applaudiront.

Dansez, les petites fées,
Toutes en rond
Dansez, de bleuets coiffées,
L'aurore au front.

Dansez, les petites femmes,
Toutes en rond.
Les messieurs diront aux dames
Ce qu'ils voudront.

Victor Hugo

La trottinette

Mon ami joue de la trompette ;
Ma cousine, du violon ;
Mon père, de la clarinette ;
Mon oncle, de l'accordéon ;
Ma grand-mère joue du piano ;
Mon parrain, de la contrebasse ;
Son petit neveu, de l'alto ;
Ma mère, elle, de la guitare
Et mon voisin qui est aveugle
Joue parfois, le soir, du bugle.
Moi, je n'ai rien d'un musicien.
Aussi, mon père désolé
N'a jamais pu que m'acheter
Une petite trottinette
Pour que je puisse aussi jouer
Quand il joue de la clarinette.

Maurice Carême

Chapitre II

Jeu, tu, ils jouent

Jeux et compagnie

Le jeu du solitaire

Jeux et compagnie

(…) **S**i laissant tes jeux de côté, tu veux te plonger
dans l'eau pure, ô viens, ô viens à mon lac.
Laisse sur la plage ton manteau bleu ; l'eau plus bleue
t'enveloppera toute.
Les vagues se feront très douces pour caresser ton cou
et murmurer à ton oreille.
Viens, ô viens à mon lac si tu veux t'y plonger.

Rabindranath Tagore

LA TULIPE

Fanfan, Marceline et Philippe,
Nous étions une fine équipe,
Pipe en terre et tulipe en pot.
Tulipanpo, roi des nabots,
Nous a fait fumer la pipe,
Vive le pot de Tulipe !

Robert Desnos

EST-CE PASSE-TEMPS ?

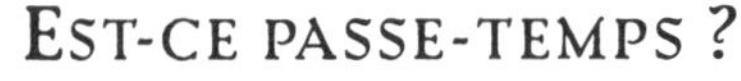

Est-ce passe-temps d'écrire
est-ce passe-temps de rêver
Cette page
était toute blanche
il y a quelques secondes
Une minute
ne s'est pas encore écoulée
Maintenant voilà qui est fait.

Jacques Prévert

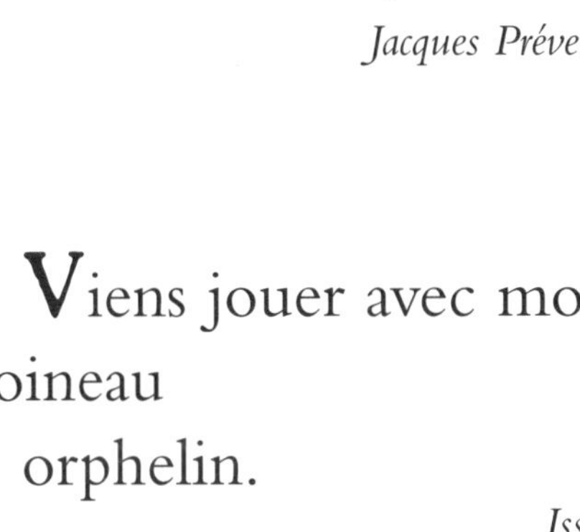

Viens jouer avec moi
moineau
orphelin.

Issa

Recatonpilu ou le jeu du poulet

Si tu veux apprendre
des mots inconnus,
récapitulons,
récatonpilu.

Si tu veux connaître
des jeux imprévus,
locomotivons,
locomotivu.

Mais les jeux parfaits
sont les plus connus :
jouons au poulet.

Je suis le renard
je cours après toi
plus loin que ma vie.

Comme tu vas vite !
si je m'essoufflais !
si je m'arrêtais !

Jean Tardieu

J comme Joseph

(musique : Nous n'irons plus au bois)

Joseph joue au jacquet
Avec le jeune John
Dans l'joli jardinet
Plein de jacinthes jaunes
En jouant ils jasent
Sur un air de jaz-ze
Joutons, joutez
C'est jeudi on a congé !

Boris Vian

Dans la famille École,
je demande le petit Paul.
Dans la famille Crayon,
je demande le père Gaston.
Dans la famille Cartable,
je demande le fils Aimable.
Dans la famille Récré,
je demande mamie Andrée.
Mais dans la famille Cantine,
je demande Anne-Christine,
c'est ma copine!

Gagné !

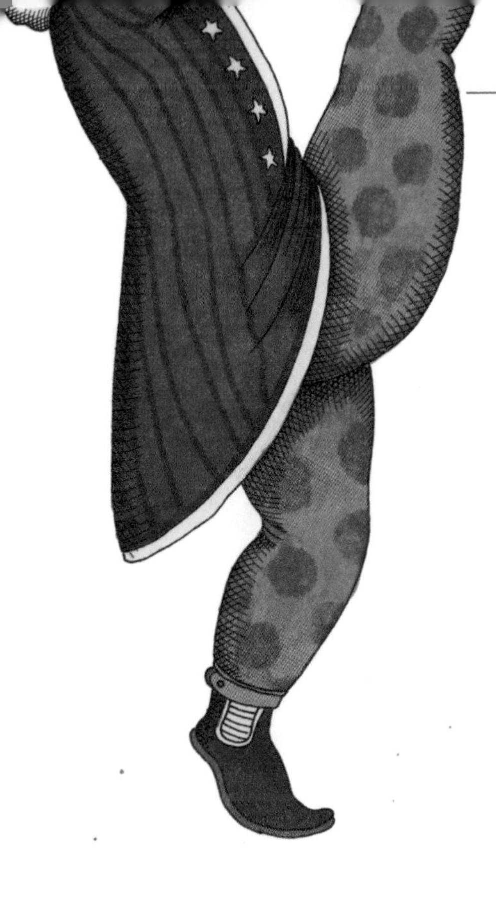

Henri premier
lève le pied
Henri deux
lève la queue
Henri trois
lève le doigt
Henri quatre
lève la patte
Henri cinq
lève la main
Henri six
lève la cuisse.

Voici le grand azur...

(...) Voici les doux enfants jouant à la marelle :
Marie-Louise, Aurélie et bien d'autres encore...
Ils sont plus innocents que la rosée des roses
qui pleurent sur la douce et usée margelle...

Ils chantent, se tenant les mains en un rondeau.
Ils chantent, doucement ineffables, ces mots :
« *Au rondeau du Mayaud, au rondeau du Mayaud,*
Ma grand'mère, ma grand'mère, ma grand'mère a
[fait un saut. »

Voici d'autres enfants portant des arrosoirs,
et la tranquillité des tombées tendres des soirs.
Voici le cliquetis des sabots d'écoliers
qui courent, comme des graines, au vent léger. (...)

Francis Jammes

À la cachette
de bobinette
le roi t'appelle
va te cacher
souci,
persil.
Mon père m'a dit
que ce serait celui-ci.
Mais comme le roi
[ne le veut pas
Tu n'y seras pas.

Petite Poulotte a voulu mettre
Ses petits pieds parmi les miens
Nos petits pieds se sont mêlés
Elle a pris les miens pour les siens
Allons ma belle remettez-vous
Reconnaissez vos petits genoux

L'enfant sur mon dos
joue avec mes cheveux –
la chaleur !

Sono-jo

L'invisible compagnon de jeux

Quand les enfants jouent tout seuls dans le pré,
Survient le compagnon que personne ne voit.
Quand les gentils enfants sont tout seuls et très
[gais,
L'ami des enfants se glisse hors du bois.

Personne ne l'a vu ni ne l'a entendu ;
Son portrait, jamais tu ne le feras ;
Mais il est présent, ici ou là-bas,
Quand les enfants dans leurs jeux sont perdus.

Il court sur le gazon, gîte dans les lauriers,
Et chante sur le verre où ton doigt a frappé ;
Quand tu es heureux sans savoir pourquoi,
Sois certain que l'ami des enfants est vers toi !

Il déteste être grand, il aime être petit,
C'est lui qui hante les cavernes que tu creuses.
Lorsque tu joues aux soldats de plomb c'est lui
[qui
Est avec les armées jamais victorieuses.

Quand tu vas au lit, c'est lui dans le noir
Qui t'invite à dormir et ne pas t'inquiéter,
Car, qu'ils traînent par terre ou qu'ils soient
[dans l'armoire
Il prendra soin de tes jouets dispersés !

Robert Louis Stevenson

Dans le silence des maisons
Où restent des poussières d'enfance
J'attends le retour des saisons
Et les fillettes des vacances
Je prendrai leurs mains dans mes mains
Nous irons cueillir des feuillages
Et mordre l'écorce du temps
Nous traverserons des villages
Coupés en deux par le soleil
Et des forêts où s'ensommeillent
Les griffes légères du vent.

Georges Jean

LE GRAND-PÈRE EST À LA FENÊTRE

Le grand-père est à la fenêtre
Assis sur les genoux du chat
Les oies jouent de la trompette
l'araignée compte sur ses doigts.

Maurice Fombeure

BÉBÉ ET Cie

Le petit Edouard Maisonnet
vit dans sa petite maison
il pêche les poissonnets
de son ami le forgeron.

Philippe Soupault

MARELLE-EN-TERRE

À la marelle à la marelle
y a plus d'enfer y a plus qu'un ciel
et les chiffres tournent en rond
et c'est à cloche-pied et à pieds joints
que le 8 est rejoint.

Franck Orsoni

Les fous

Et ton phoque ?
Et ton coq ?
Et ton sac ?
Et ton lac ?
Et ton pic ?
Et ton tic ?
Et ton bœuf ?
Et ton œuf?
Ils vont bien
Ce matin
Merci pour eux
Pour nous
On s'amuse
Comme des fous !

Roland Topor

Si c'est moi
c'est pas toi
ce sera toi
la prochaine fois
1 2 3

Ne jouez pas à cache-cache avec un écureuil

« C'est toi qui t'y colles » a dit l'écureuil.
Il aime jouer à cache-cache.
À droite du tronc il faufile un œil,
à gauche ondule son panache.

« Je t'ai vu ! Tu sors ! C'est toi qui t'y colles ! »
L'écureuil ne m'écoute pas.
Tricotant l'écorce, il saute et s'envole
la tête en haut, la tête en bas. (…)

Claude Roy

PLEIN CIEL

J'avais un cheval
Dans un champs de ciel
Et je m'enfonçais
Dans le jour ardent.
Rien ne m'arrêtait
J'allais sans savoir,
C'était un navire
Plutôt qu'un cheval
C'était un désir
Plutôt qu'un navire,
C'était un cheval
Comme on n'en voit pas,
Tête de coursier,
Robe de délire,
Un vent qui hennit
En se répandant
Je montais toujours. (...)

Jules Supervielle

Dédé
Joue aux dés

Marcelle
à la marelle

Yvette
à la dînette

Pierrot
aux Lego

Frédérique
à l'élastique

Malek
aux échecs

Camille
aux quilles

Et moi
je joue à quoi ?

À chat
avec toi !

Chien aux écoliers

Les écoliers par jeu brisent la glace
dans un sentier
près du chemin de fer
on les a lourdement habillés
d'anciens lainages sombres
et ceinturés de cuir fourbus
le chien qui les suit
n'a plus d'écuelle où manger tard
il est vieux
car il a leur âge.

Jean Follain

Roulez, roulez, chemin d'fer, roulez,
Comme ça marche, comme ça marche,
Roulez, roulez, chemin d'fer, roulez,
Comme ça marche, regardez.

Vampire-party

Papa est vampire
Maman chauve-souris
Moi je ne respire
Que la nuit
Que la nuit

J'ai de jolies ailes
Tout en velours noir
Que la lune est belle
Tous les soirs
Tous les soirs

Je m'accroche par les pieds
Au plafond, la tête en bas
Pendant l'jour, je vis caché
Personne ne me voit

Et tous les dimanches
Ça c'est épatant
On s'en paie une tranche
En buvant du sang

Voilà la vampire-party
Venez-y, venez-y
D'mandez la vampire-party

Boris Vian

La chauve-souris

À mi-carême, en carnaval,
On met un masque de velours.

Où va le masque après le bal ?
Il vole à la tombée du jour.

Oiseau de poils, oiseau sans plumes,
Il sort, quand l'étoile s'allume,
De son repaire de décombres.
Chauve-souris, masque de l'ombre.

Robert Desnos

Ronde

Dans cette ronde,
Entrez la blonde ;
Entrez la brune
Avec la lune ;
Vous, la pluie douce,
Avec la rousse ;
Vous la châtaine,
Avec la plaine ;
Vous la plus belle,
Avec le ciel.
J'y entre, moi,
Avec la joie.

Maurice Carême

Ronde

Entrez dans notre ronde
vous qui passez au loin
nous cueillerons le monde
comme on coupe les foins.

Sautez dans notre ronde
en secouant vos cheveux
tous les trésors du monde
ne valent pas nos jeux.

Tournez dans notre ronde
en chantant avec nous
tous les soucis du monde
ne vaudront plus un sou.

Allez dire à la ronde
qu'en dansant avec nous
tous les bonheurs du monde
étaient à nos genoux.
Hou !

Pierre Béarn

Ronde

Mets ta main ronde dans ma main,
Dans ma main ta main rose et ronde :
Dansons la ronde.

J'ai couronné de roses rondes
Mes longs cheveux d'or souple et fin.

Mets ta main rose dans ma main.

La lune dans la nuit profonde,
Et le soleil dans le matin,

Mes bras nus et mes boucles blondes,
Mon baiser et mon coeur enfin,

Les plus belles choses du monde
Sont des choses rondes :

Dansons la ronde.

Charles Van Leberghe

C'était pour jouer

Refrain I

C'était pour jouer
Qu'hier au téléphone
Tu m'as d'mandé
De renvoyer ma bonne
C'était pour jouer
Que tu es venue
C'était pour jouer
Que l'on s'est embrassés

C'était pour jouer
Qu'on a éteint la lampe
C'était pour jouer
Que tes mains sur mes tempes
M'ont attiré vers toi chéri
Et que nos corps se sont unis
On s'est aimés
C'était pour jouer

Couplet

Dans la vie, y a des gens
[sérieux
Des aigris, des gens ennuyeux
Mais tant pis, qu'ils restent
[chez eux
Je n'aime que le jeu

Refrain 2

C'était pour jouer
Qu'on est restés ensemble
Que dans ma main
J'ai pris ta main qui tremble
Oui mais soudain
Que s'est-il passé
C'était pour jouer
Et puis c'est arrivé
C'était pour jouer
Et les jours nous entraînent
On plaisantait
Mais ta vie et la mienne
Sont réunies à tout jamais
C'était pour jouer
[que l'on s'aimait
C'était pour jouer
Maintenant, c'est vrai...

Boris Vian

Au bal des balles sur le mur
À toi ! Prends vite !
Ah ! ne cours pas jusqu'à Saumur
Au bal des balles sur le mur.
Bil ! Bol ! Rends vite
À toi ! À moi ! Ce n'est pas sûr !
La balle est à qui va plus vite
Au bal des balles sur le mur.
Bil sur le mur ! Bol dans la main !
C'est pour mon père
Bulle au premier, c'est pour le tien !
Bil sur le mur, Bol dans la main
Bal pour ta mère !
À toi ! À moi ! Bol dans la main
Et n'oublions pas nos cousins
Au bal des balles sur le mur.

Pierre Béarn

Le jeu du solitaire

Impatience

Plus tard lorsque je serai grand
Je serai fier et important,
Aux autres enfants je dirai
De ne pas toucher à mes jouets.

Robert Louis Stevenson

LA MÉCHANTE POUPÉE

Je ne veux pas aller
Jouer dans le jardin,
Je ne veux pas donner
La main au petit chien,
Je ne veux pas manger
Ma tartelette aux pommes,
Je ne veux pas passer
Ma robe de cretonne,
Je ne veux pas m'asseoir
Sur cette chaise-là,
Je ne veux pas le boire,
Mon bol de chocolat.
Je veux pleurer, pleurer
À me fondre les joues.
Je veux pleurer, pleurer
Et encore pleurer
Jusqu'à la fin du jour.

Maurice Carême

MAISON DANS L'ALLÉE AUX BAMBOUS

Seul assis parmi les bambous solitaires
Je joue du luth et siffle longuement.
Profonde est la forêt, personne ne m'entend,
Vient la lune blanche qui m'éclaire.

Wang Wei

LE DÉGOÛT

(...) P'tit garçon le ballon rond
Il rebondit trois bonds
Mais c'est une boule
Qui va pas très loin qui roule
Qui fascine les foules
Alors tape dedans
Ça fera un peu passer le temps
Mais moi j' voulais qu'y s'envole
Qu'y reste pas seulement football
C'était les dimanches amers
Au grand air

C'était l'dégoût
L'dégoût d'quoi j'sais pas mais l'dégoût
Tout petit déjà c'est fou
[comme tout me foutait l'dégoût

Alain Souchon

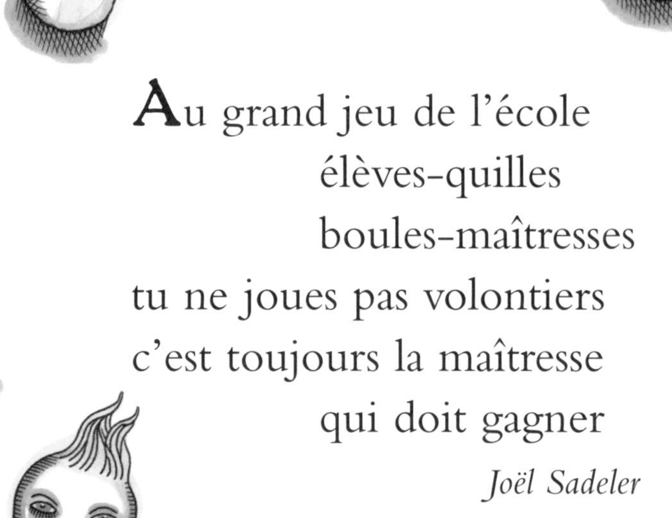

Au grand jeu de l'école
élèves-quilles
boules-maîtresses
tu ne joues pas volontiers
c'est toujours la maîtresse
qui doit gagner

Joël Sadeler

L'EAU VIVE

Je sais
que tu aimes bien oublier
le temps de l'école,
le temps des devoirs et des écritures.

Je sais
que tu aimes bien suivre
les flaques d'eau,
le cours des ruisseaux et des arcs-en-ciel.

Je sais
que tu aimes bien vivre
le temps de ton cœur,
le temps des jeux dans les bois.

Je sais
que tu aimes bien regarder
le soleil se coucher,
la lune briller dans tes yeux.

Je sais
que tu aimes bien contempler
la grande ourse,
les étoiles scintiller sur tes lèvres.

Je sais
que tu voudrais que le monde
soit comme la lumière des étoiles,
une eau vive où l'on
[boirait sans cesse.

Marie Botturi

Envoi

Nous avons joué de la flûte
Vous ne nous avez pas écouté.

Nous avons chanté
Vous n'avez pas dansé

Et quand nous avons bien voulu danser
Plus personne ne jouait de la flûte.

Aussi depuis notre infortune
Moi je préfère la bonne lune

Elle fait se désoler les chiens
Et chanter les crapauds musiciens. (…)

André Gide

Petit cri, petit cra,
Tu ne seras pas
le chat !

FIGURES

Je bats comme des cartes
Malgré moi des visages,
Et, tous, ils me sont chers.
Parfois l'un tombe à terre
Et j'ai beau le chercher
La carte a disparu.
Je n'en sais rien de plus.
C'était un beau visage
Pourtant, que j'aimais bien.
Je bats les autres cartes.
L'inquiet de ma chambre,
Je veux dire mon cœur,
Continue à brûler
Mais non pour cette carte,
Qu'une autre a remplacée :
C'est un nouveau visage,
Le jeu reste complet
Mais toujours mutilé.
C'est tout ce que je sais,
Nul n'en sait davantage.

Jules Supervielle

LE TAPIS VERT

Je touche par la bande
La blanche de tristesse
Quand je voulais atteindre
L'autre boule d'ivoire.

Des visages grossiers
Regardent le trajet
De cette gaucherie.
« Quel est donc celui-là
Qui n'en manque pas une
Et ne sait pas jouer
À nos boules d'ivoire ?
Il regarde ahuri
Le tapis vert sans herbe,
Espérant que peut-être
C'est affaire de temps. »
Et les voilà riant
D'un rire épais et rance
Qui cherchait une issue
Dans leurs bouches mauvaises.
Et je voudrais pouvoir
Éviter leurs regards
Et regarder ailleurs
Mais il n'y a pas d'ailleurs
Nulle part sur la Terre.
Je les trouve installés
Et se mettant à l'aise
Dans le fond de mon cœur,
Devenus minuscules,
En manches de chemise,
Ils boivent de la bière,
Et s'essuient la moustache
D'un revers de la main.

Jules Supervielle

DIMANCHE

Charlotte
Fait de la compote

Bertrand
Suce des harengs

Cunégonde
se teint en blonde

Epaminondas
cire ses godasses

Thérèse
Souffle sur la braise

Léon
Peint des potirons

Brigitte
S'agite, s'agite

Adhémar
Dit qu'il en a marre

La pendule
Fabrique des virgules

Et moi dans tout cha ?
Et moi dans tout cha ?

Moi ze ne bouze pas
Sur la langue z'ai un chat.

René de Obaldia

Le petit Lapon

Je n'ai jamais vu de lama,
De tamanoir ni de puma.

Je n'ai pas été à Lima
Ni à Fez, ni à Panama

Je ne possède ni trois-mâts,
Ni chaussette, ni cinéma.

Je ne suis qu'un petit Lapon
Qui sculpte de petits oursons,

Avec un os, dans un glaçon.

Maurice Carême

LA STATUE DE BRONZE

La grenouille
Du jeu de tonneau
S'ennuie, le soir, sous la tonnelle... (...)
Elle aimerait mieux être avec les autres
Qui font des bulles de musique
Avec le savon de la lune
Au bord du lavoir mordoré
Qu'on voit, là-bas, luire entre les branches...
(...)

Léon-Paul Fargue

COMME UN ROI

Il y avait des bleuets dans les blés,
Il y avait des nids plein les fossés,
Il y avait du ciel sur les cerises,
Il y avait de l'or sur l'horizon,
Il y avait du soleil sur l'église,
Il y avait, dans toutes les maisons,
Des enfants sautant, riant sans raison.
Et là, juste au milieu de tout cela,
Juste au milieu du monde ivre de joie
Dont je réglais la ronde sans soldats,
Il y avait moi, tout seul, comme un roi.

Maurice Carême

HÉLÈNE

Hélène est bouleversée
Quand dégaine le guerrier
Mort depuis deux mille années
Dans un livre du grenier.

– Quel amour ! Qu'il est brutal !
(Elle songe toute nue)
Distinguons le bien du mal,
Rectifions la tenue !

Les guerriers de l'Iliade
Avaient des casques terribles,
Ils couraient en débandade,
Hélène, amour impossible,

Ah que j'ai de peine à vivre,
Ah comme Hélène était nue !
L'Iliade est un vieux livre,
Au grenier, rien ne remue.

Henri Thomas

Tour d'ivoire

Le vieillard dans son vieux palais,
un jour a décidé de monter à la tour.
Mais arrivé là-haut : « Si je redescendais
dans le parc ? » Il en fit le tour.

Et le parc, il le trouva laid
comme un soir de trahison et de pluie.
Un peu de plaisir, s'il vous plaît,
pour un pauvre vieux qui s'ennuie.

« Sire, lisez des vers. » – « Ah ! non,
[pas de poètes ! »
– « Vous pourriez acheter un bel accordéon... »
– « Non, merci. Je n'ai pas le don,
et d'ailleurs la musique m'embête.

Au temps où je dansais la gigue
j'aurais pu faire un bel enfant ;
mais à présent, ça me fatigue.
Je ne suis plus qu'un ci-devant.

Assez, vraiment, de l'élégance,
des romans d'analyse et des chansons
[d'amour.
Adieu, messieurs ! Vive la France !
Moi, je remonte dans ma tour. »

Robert Ganzo

Repliement

Je le regardais s'amuser
Toujours seul avec ses jouets :
J'étais un peu triste pour lui.
J'ai essayé de m'approcher
Mais sans même se retourner
Voilà ce qu'il m'a dit :
« Mes cochons de verre
Mon cheval de bois
Ma poule en porcelaine et moi
Nous n'aimons personne
Ni Dieu, ni le Roi
Il n'y a pas de place pour toi ».

J'ai voulu le persuader
J'ai murmuré : « Viens t'amuser,
Tu rencontrera des amis
Il ne faut pas rester ainsi ».
Mais il n'a même pas bougé
Sa voix seule a repris :
« Mes cochons de verre
Mon cheval de bois
Ma poule en porcelaine et moi
Nous n'aimons personne
Ni Dieu, ni le Roi
Il n'y a pas de place pour toi ».

Michel Piquemal

J'avais dix ans
Depuis longtemps déjà
je me savais mortel
J'étais très étonné
cette façon qu'a l'eau de couler dans le noir
cette façon qu'a le sang de glisser dans le temps
Je m'engourdissais exprès un bras
pour entendre dans mes veines l'eau de ma durée
cogner doucement
Ou bien je jouais avec moi-même au docteur
je me prenais le pouls
pour me sentir battant

Claude Roy

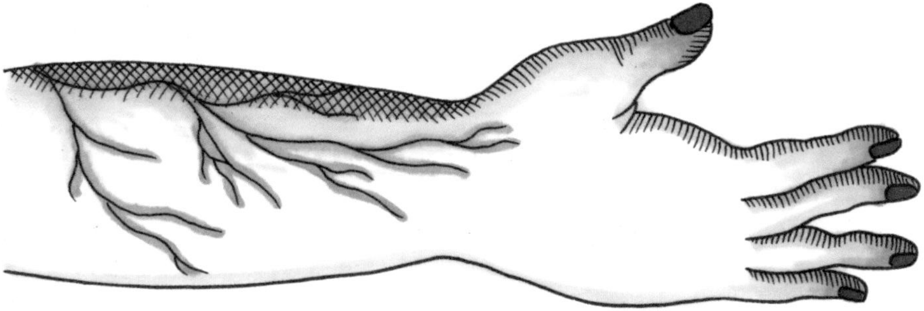

Chapitre III

C'est pas du jeu !

Jeux interdits

On ne joue plus !

Jeux interdits

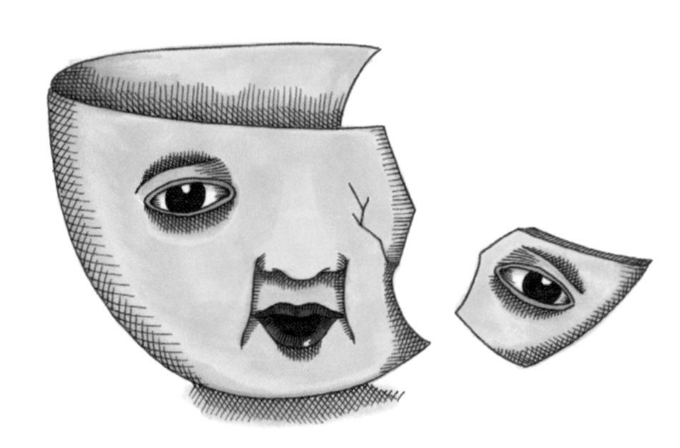

AUX FEUILLANTINES

Mes deux frères et moi, nous étions tout enfants.
Notre mère disait : « Jouez, mais je défends
Qu'on marche dans les fleurs et qu'on monte aux échelles. »

Abel était l'aîné, j'étais le plus petit.
Nous mangions notre pain de si bon appétit,
Que les femmes riaient quand nous passions près d'elles.

Nous montions pour jouer au grenier du couvent.
Et là, tout en jouant, nous regardions souvent
Sur le haut d'une armoire, un livre inaccessible.

Nous grimpâmes un jour jusqu'à ce livre noir ;
Je ne sais pas comment nous fîmes pour l'avoir,
Mais je me souviens bien que c'était une Bible. (...)

Victor Hugo

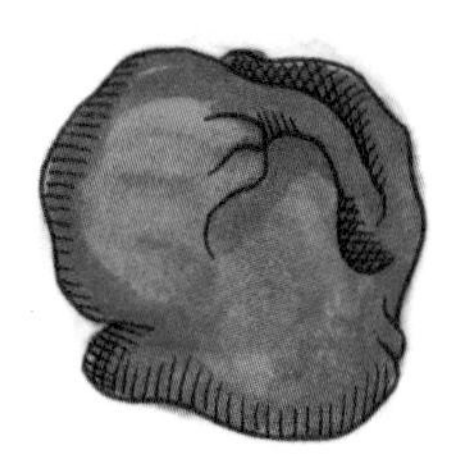

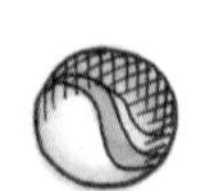

Une aiguille
Je te pique
Une épingle
Je te pince
Une agrafe
Je t'attrape.

C'est toi qui t'y colles
là, derrière l'école
je compte jusqu'à cent
mets bien tes mains devant
et ferme fort les yeux
tu compteras mieux
attends que je me cache
si tu triche, je me fâche !

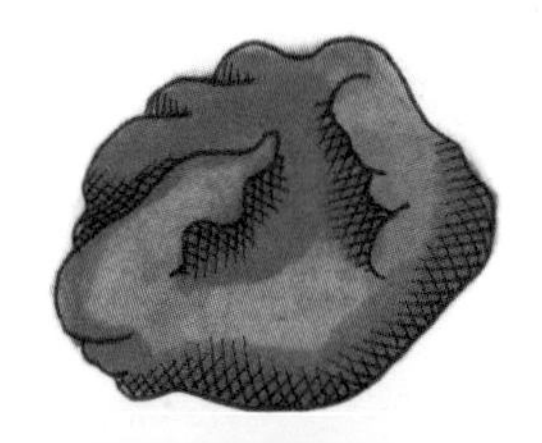

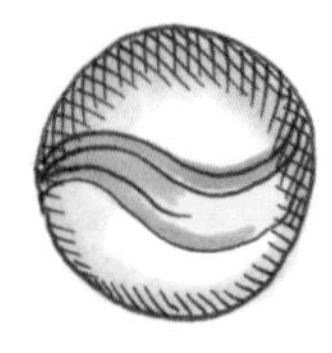

Un pou et une puce
Qui jouaient aux cartes,
Au jeu de piquet sur un
tabouret.
La puce a triché,
Le pou en colère
De sa trahison
Passa par derrière
[et lui tira le chignon

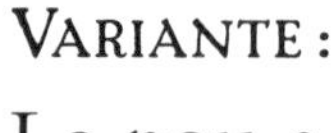

VARIANTE :
Le pou a triché
La puce en colère
Passe par derrière
Et lui tire les cheveux
En disant : « Mon vieux,
Tu n'es qu'un pouilleux ! »

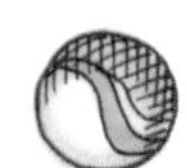

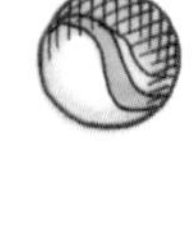

J'ai fais de la bouillie-bouillasse
pour mes petits cochons :
pour un, pour deux, pour trois, pour quatre.

MON ÉLÉPHANT

Mon éléphant n'est pas en bois
        Comme chacun le croit.
Il aime jouer au loto,
À la marelle, aux dominos.
Aux cartes, chaque fois, il triche.
Je sais bien qu'il me fait des niches.
Et, si je lui tourne le dos,
Il mange mes bonbons et boit,
Sans vergogne, mon chocolat.
Mon éléphant n'est pas en bois,
        Comme chacun le croit.
Il est gourmand, il est matois
Et encor plus vaurien que moi.

Maurice Carême

Chiche
tu triches
Chouette
tu perds
au piquet
ou en enfer

Henry quatre
voulait se battre
Henri trois
Ne voulait pas
Henry deux
se moquait d'eux
Henry un
Ne disait rien.

Petite histoire

Il court, il court, le lièvre,
il court dans les foins
comme il court dans la fable,
en zig-zag sur l'horizon.

Pourquoi se sauve-t-il si vite
si vite, comme un polisson ?

– « Tricheur tricheur »,
crie la tortue à carreaux.

– « Tu fuis, tu fuis, poltron »,
reprend la forêt, en écho.

Qu'aurait-il à dire
devant le juge d'instruction ?

Le conseil de l'Histoire
retiendra le délit de fuite :

ne s'arrête jamais
au chagrin de la pomme de pin,

ne prête pas attention
à la vie si courte du hanneton.

– « Quel dommage, s'exclamera la tortue,
que de rires, que de câlins perdus ! »

Christiane Keller

Le grand combat

Il l'emparouille et l'endosque contre terre ;
Il le rague et le roupète jusqu'à son drâle ;
Il le pratèle et le libusque et lui barufle les ouillais ;
Il le tocarde et le marmine,
Le manage rape à ri et rape à ra.
Enfin il l'écorcobalisse.
L'autre hésite, s'espudrine, se défaisse, se torse et se ruine,
C'en sera bientôt fini de lui ;
Il se reprise et s'emmargine... mais en vain.
Le cerceau tombe qui a tant roulé. (...)

Henri Michaux

Les jeux
c'est du sérieux
C'est bien
quand on est un
C'est mieux
quand on est deux
C'est la joie
quand on est trois
Mais quand on est plus que quatre
on n'arrive qu'à se battre

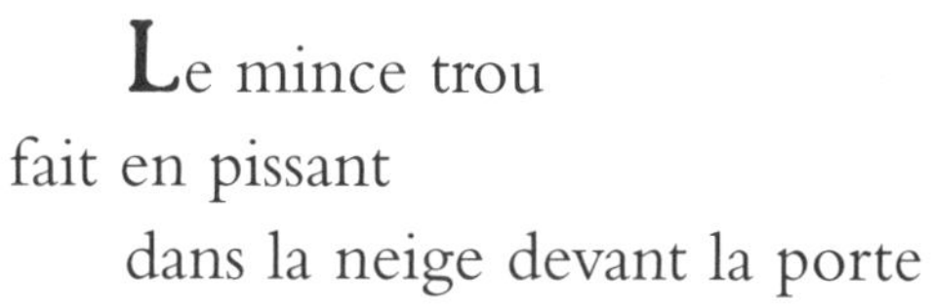

Le mince trou
fait en pissant
dans la neige devant la porte

Issa

Quand serons-nous sages ?
Jamais, jamais, jamais !
Quand serons-nous diables ?
Toujours, toujours, toujours !
La terre nourrit tout,
Les fous avec les folles.
La terre nourrit tout,
Les folles avec les fous.

Une petite cerise
Au bord d'un ruisseau
Lève sa chemise
Fait pipi dans l'eau
Trou !
Un deux trois
Tu seras la reine
Trou !
Un deux trois
Tu seras le roi.

Quand j'étais petit
je n'étais pas grand
je montrais mon cul
à tous les passants !

Bécassine
ma cousine
trempe ton cul
dans la bassine !

Quel malheur !
Ne tombez jamais dans un précipice,
En voulant cueillir des fleurs
Car sur les cailloux, ça glisse
Quel malheur, quel malheur !

Je suis voiture et paysage
mes genoux montagnes
et mes jambes
pentes à gravir

Je suis pilote et autoroute
j'ai une plaine thoracique
attention au précipice
de mes cuisses

Je roule et suis roulé

Jeu d'enfant ?

Autoroute A6
samedi 31 Juillet
6 morts 24 blessés

Joël Sadeler

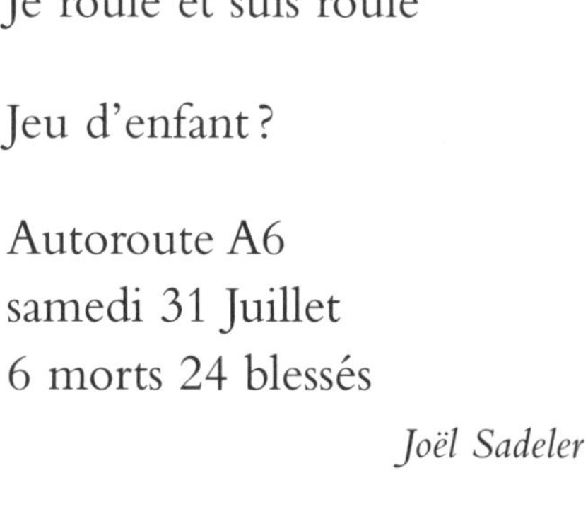

JOUETS

Restent interdits sans exceptions :
Les bombes A.
Les bombes H.
Les fusées lunaires pour enfants,
[les chars de plus de 6
tonnes

Sont autorisés les couteaux
[dont la lame n'exède pas 60
centimètres.

Boris Vian

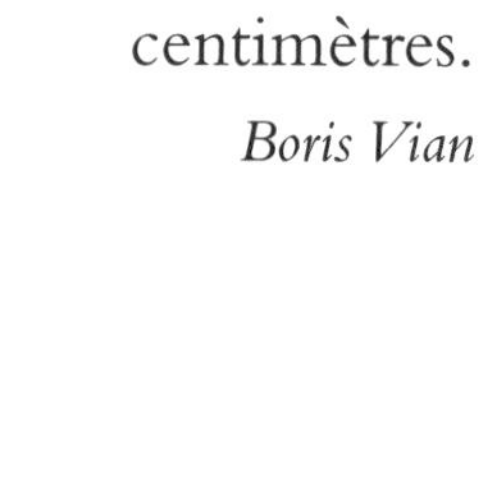

Promenons-nous
dans les bois
pendant que le loup
y est pas.
Si le loup y était,
il nous mangerait.
Mais comme il y est pas,
il nous mangera pas

Loup y es-tu ?
Que fais-tu ?
Entends-tu ?

La chasse aux papillons

Parfois, pendant les vacances,
Papa rapporte un lion
Qu'il a tué par malchance
À la chasse aux papillons.

Vite, on le soigne, on le panse,
On lui retire les plombs
Qui l'ont tué sans raison...
Le voilà remis d'aplomb.

Et ce gentil lionceau
Revoit le bonheur des plaines
Où mon papa de nouveau
Peut le tuer par déveine.

Geo Norge

Un petit polichinelle
qui dansait sur sa fenêtre
Un deux trois
il se fiche en bas
Quatre cinq six
il remonte bien vite
Sept huit neuf
il a des cornes de bœuf
Dix onze douze
il a des jambes toutes rouges.

PETITE FILLE

J'ai cueilli une fleur
Dans le jardin de la voisine
Ni vue, ni connue
Ni entendue, non plus.
Et je suis partie
Comme une voleuse,
Heureuse.
J'ai suivi le vent
Pris des chemins déserts
En effeuillant ma rose
Puis j'ai marché
[doucement
Sur les pétales
Comme une mariée
Heureuse.
Quand soudain le vent
[s'est levé
En emportant tout,
Mon vol, mon rêve.
Et je suis restée debout
Toute seule
Comme seule au monde
En étant juste moi
Perdue entre les grands.

Alexandra Hernandez

JEU D'ENFANT

UN ENFANT

Un, deux, trois, malheur,
un, deux, trois, bonheur,
devinette, devinette,
parle-m'en, parleras-tu
de bonheur ou de malheur ?

TOUS

Sur les mains et sur les pieds,
danse, danse la tulipe,
au jardin la mouche à miel
se réveille et dit :

UN ENFANT

Bonheur !

TOUS

Bonheur, bonheur, bonheur,
ongles roses des dimanches,
papa est bossu, maman s'est pendue,
un, deux, trois, bonheur, bonheur !

UN ENFANT

Un, deux, trois, malheur,
un, deux, trois, bonheur,
devinette, devinette,
parle-m'en, parleras-tu
de bonheur ou de malheur ?

Tous

Au jardin la mouche à miel
se réveille sur les mains,
danse, danse sur les pieds,
la tulipe a dit :

Un enfant

Malheur !

Tous

Malheur, malheur, malheur,
cheveux ras de jours de fêtes,
mon petit frère est seul chez nous,
il joue avec le rasoir de papa,
un, deux, trois, malheur, malheur !

René Daumal

Savez-vous casser la vaisselle à maman ?
Voilà comment on s'y prend :
Un
Deux
Trois

Rouge
tu bouges
Blanc
tu mens
Gris
tu ris
Vert
tu perds !

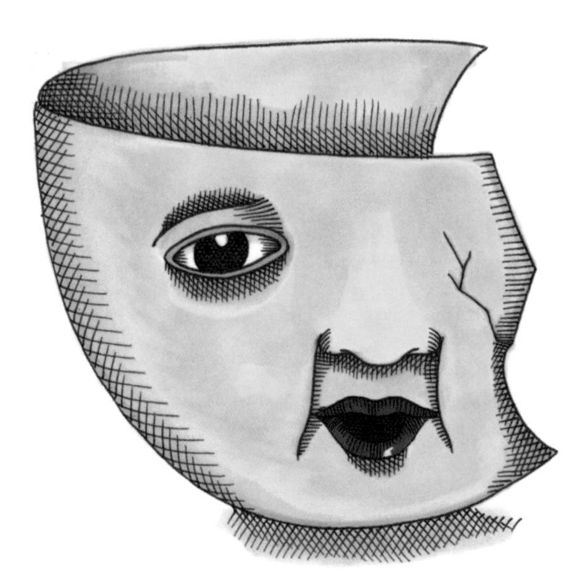

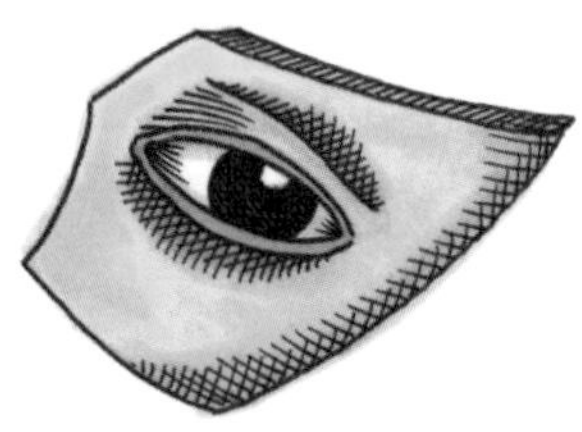

LES HIPPOCAMPES

Du jeu d'échecs trempé dans l'eau
ni roi ni reine ne surnagent
tours fous et pions dans ce naufrage
vont joindre les dépôts marins
seuls les chevaux racés et fins
se déplacent en toute aisance
dans le neuf élément hydrin
adaptant avec élégance
le bois tourné au sel marin

Raymond Queneau

Marie-Madeleine
va-t-à la fontaine
se lave les mains
se les essuie bien
monte à sa chambre
joue à la balle
un peu plus haut
casse un carreau
un peu plus bas
tue son petit chat
sa mère lui dit
comme pénitence

tu me feras
trois tours de danse.
En voici un
en voici deux
en voici trois

LA BELLE FÊTE

L'étoile qui tombit
– Pardieu la belle fête !
l'étoile qui tombit
le cheval qui sautit
le fleuve qui coulit
ils m'ont donné à rire
ils m'ont donné à rire
Bell'dame !
à rire et à chanter.

La branche qui cassit
– Pardieu la belle fête !
La branche qui cassit
le cheval qui chutit
le char qui se rompa
le pont qui s'écroulit,
ils m'ont point tant fait rire,
ils m'ont point tant fait rire,
Bell'dame!
tant rire que trembler.

La dame qui passit
– Pardieu la belle fête !
la dame qui passit
la main qui se tenda
le baiser que je pris
m'ont donné à sourire
m'ont donné à sourire,
Bell'dame !
sourire et oublier

Et ceux qui s'en allit
– Pardieu la belle fête !
et ceux qui s'en allit
qui s'en allit d'la fête
et ceux qui s'endormit

avant la fin de la fête
ils m'ont donné à dire
à dire et à rien dire
Bell'dame
rien dire et puis pleurer.

À la Saint-Jean d'ici
– Pardieu la belle fête !
À la Saint-Jean d'ici
comme j'étions venu
la tête et les pieds nus
je m'en repartirai.
À la fête d'ici
j'étions venu pour rire
j'étions venu pour rire
Bell' dame!
et pour m'en retourner.

Jean Tardieu

VOYAGE EN TORTILLARD

Ne laissez pas
Les enfants jouer avec la serrure
Ne laissez pas
Les enfants jouer avec leur nature
Ne laissez pas
D'empreintes de pouces sur les œufs durs
(…)

Maurice Fombeure

À la ronde des muets
sans rire et sans parler
le premier qui rira
ira au piquet
un deux trois
la baguette du roi

C'est pas moi qui suis le Bon Dieu

C'est pas moi qui suis le bon Dieu
Et je crois que ça vaut mieux
Car je serais bien trop méchant
Avec les vilains garnements.
Je punirais Claude et Lison
Qui font des billes en carton
... Surtout le vilain Nicolas
Qui a coupé la queue du chat.

Couper les moustaches c'est rien
Ça donne un air carolingien.
Mais couper la queue c'est méchant
Je ne vais pas savoir comment
Lui attacher la casserole
qui faisait du tambour sur les cent marches de l'école.

René de Obaldia

On ne joue plus !

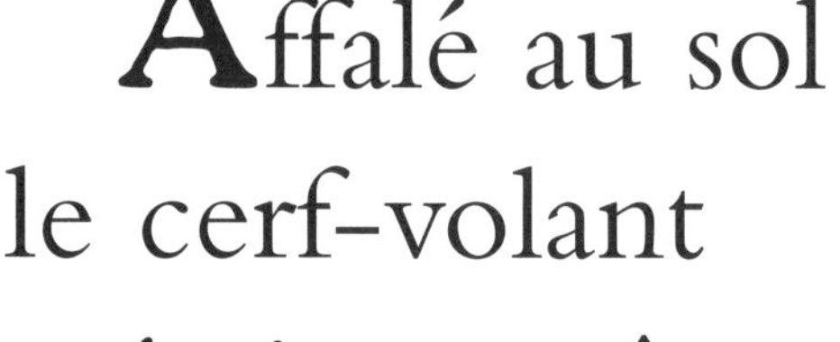

Affalé au sol
le cerf-volant
était sans âme

Kubonta

QUE FAIRE ?

On ne voit pas un chat dehors.
Aux fenêtres, les volets claquent.
Emportant des flots de poussière,
Le vent joue au cheval sans mors.
Un ciel tout noir luit dans les flaques.

Que faire par ce temps, que faire ?
On a vidé quatre théières,
Secoué dix fois le loto,
Redit pour rien les mêmes fables
Et l'on invoquerait le diable
Si l'on ne risquait pas si gros.

Maurice Carême

L'ARC-EN-CIEL

L'arc-en-ciel
ce jouet
que Dieu
oublie parfois
de ramasser.

Shlomo Reich

Je suis dans un pré...

Bien que je m'ennuie, moi, je veux retourner là
quand je serai malade encore, voir des bûches
dans les vieux jardins et secouer les lilas
pour faire pleuvoir les hannetons, boire aux cruches
sur l'évier frais, dans la cuisine qui sent fort,
et rester seul avec moi d'un air doux et triste
et puis me promener seul sans aller trop vite. (…)

Francis Jammes

Le milliardaire

John apportait un plateau
sur lequel était un bateau.

Monsieur assis sur son lit
passa son habit et dit :
« Posez ça là quelque part
je termine mon cigare. »

Une heure après John revint :
la fenêtre était ouverte
dans le lit il n'y avait rien
rien non plus sous la Plante Verte
et rien du tout sur le plateau.

– Monsieur est parti en bateau.

Jean Tardieu

Poussivité

Je lorulote, je débagote,
Je fais quatre repas,
Je gorenflote, je travaillote,
Je pisse sur mes bottes
– Eh bien oui, j'en suis là ! –

Je souffle la loupiote,
Je pêche la lamproie,
Mais ça rupine, mais ça boulotte,
Chez moi je suis mon roi
Je porte la culotte
(Ou du moins je le crois)

Soudain le clair de lune
Nous tend ses pièges d'or,
Et chacun sa chacune.
Moi je m'en fous. Je dors
Au fond des collidors

Ma panse imberbe souffle
Au ras de l'édredon.
Je suis lourd et maroufle
Et bi-cotylédon
Veillé par mes pantoufles,
Enfoncé dans la plume,
Enfoncé dans les couettes
Chez moi rien ne s'allume,
Chez moi rien ne tempête
Malgré ce clair de lune
Qui nous veut, qui nous guette...

Maurice Fombeure

Je m'embête…

Je m'embête ; cueillez-moi des jeunes filles
et des iris bleus à l'ombre des charmilles
où les papillons bleus dansent à midi,
    parce que je m'embête
et que je veux voir de petites bêtes
rouges sur les choux, les ails (on dit aulx), les lis.
    Je m'embête. (…)

Francis Jammes

CHANSON D'ISACRUCHE

–Mon nom est Isabelle, Isabelle Nuche.
Mes amies à l'école m'appelaient Isacruche.
Je m'ennuie.
Je regarde par la fenêtre du matin au soir.
Personne ne passe ici, la rue est vide.
Les maisons ressemblent aux monuments
[des cimetières.
Derrière chaque rideau, il y a des morts
[qui épient.
Je ne sais pas ce que je veux.
Je m'ennuie.
J'ouvre la fenêtre, je respire l'air du soir.
J'aspire tout le désir du monde.
Puis j'attends, mais rien ne vient. (...)

Paul Willems

Nous jouerons à la balle avec Marisabelle...

Ce sont les anges qui, au ciel,
La voient passer, d'avril coiffée,
Petite sœur, petite fée,
Dans les jardins profonds des matins éternels.

Ce sont les anges de son âge
Qui chantent les mots que j'ai dits
Et qui, de nuage en nuage,
Cherchent pour y danser les coins les plus verdis
Du Paradis.

Les petits enfants morts vont jouer avec elle...

Nous jouerons à la balle avec Marisabelle...

Pierre Nothomb

À L'ÉCOUTE D'UN BATTEMENT DE SES AILES

À l'écoute d'un battement de ses ailes
je donne mon nom à l'aveugle qui passe
je donne ma langue au chat devenu tigre
je donne ma salive à la terre sèche

Béatrice Libert

J'AI DIT ADIEU

Lasse de bercer ma poupée,
De lui chanter de vieilles rondes,
J'ai dit adieu à tout le monde :
À mon écureuil empaillé,
À mon vieux chien, à mes
[pigeons,
À mon jardin, à ma maison,
À mes voisins, à mes parents,
À moi-même finalement.
Je faisais cela pour jouer
Et, sans savoir pourquoi, soudain,
J'ai pris ma tête entre les mains
Et je me suis mise à pleurer.

Maurice Carême

Picoli l'a dit,
S'il l'a dit,
C'est fini,
T'es pris !

Ma poupée est cassée
Elle est morte et enterrée
Dans ma boîte à chicorée

LITANIE DES ÉCOLIERS

Saint Anatole,
Que légers soient les jours d'école !
Saint Amalfait,
Ah ! que nos devoirs soient bien
[faits !
Sainte Cordule,
N'oubliez ni point ni virgule.
Saint Nicodème,
Donnez-nous la clé des problèmes.
Saint Tirelire,
Que grammaire nous fasse rire !
Saint Siméon,
Allongez les récréations.
Saint Espongien,
Effacez tous les mauvais points.

Sainte Clémence,
Que viennent vite les
[vacances !
Sainte Marie,
Faites qu'elles soient infinies !

Maurice Carême

Air de ronde

On dansa la ronde,
Mais le roi pleura.
Il pleurait sur une
Qui n'était pas là.

On chanta la messe,
Mais le roi pleura.
Il pleurait pour une
Qui n'était pas là.

Au clair de la lune,
Le roi se tua,
Se tua pour une
Qui n'était pas là.

Oui, sous les fougères
j'ai vu tout cela,
Avec ma bergère
Qui n'était pas là.

Maurice Fombeure

Je chante pour passer le temps
Petit qu'il me reste de vivre
Comme on dessine sur le givre
Comme on se fait le cœur content
À lancer cailloux sur l'étang
Je chante pour passer le temps

J'ai vécu le jour des merveilles
Vous et moi souvenez-vous-en
Et j'ai franchi le mur des ans
Des miracles plein les oreilles
Notre univers n'est plus pareil
J'ai vécu le jour des merveilles
(...)

Louis Aragon

LES ENFANTS

Les enfants jouent au théâtre
jusqu'à l'heure
du souper dans la nuit qui vient
alors les grandes personnes les appellent
le garçon a les yeux si clairs
puis voici celle qui mourra jeune
et celle dont sera seul le corps
tous se lavent les mains dans l'ombre
près des végétaux flamboyants
tous sont encore à ce temps
que l'on vit dans l'éternité.

Jean Follain

CHANSON

Vivre, c'est un peu
comme quand on danse :
on a plaisir à commencer –
un piston, une clarinette –
on a plaisir à s'arrêter –
et le trombone est essoufflé –
on a regret d'avoir fini,
la tête tourne et il fait nuit.

Charles-Ferdinand Ramuz

Dans ta chambre
tu as un bureau
un tableau
tu es le P.D.G.
de tes jouets
le mécano en chef
d'une station-Elf
À coups de clé à molette
de clé à secrets
tu répares tes autos
tes rêves-rétro
tu inventes des péages
pour prendre ton bain
et dans tes yeux
tu fais le plein d'eau
quand vers le soir
il faut aller
te coucher

Joël Sadeler

Tu plonges les mains

Tu plonges les mains dans un panier
Et tu en sors des joies profondes

Mais le panier se vide, tu restes désolé
Enfant tu m'es si proche

Tu joues seul, tu parles avec des ombres
Tu restes dans les mondes

Que tu inventes, comme un feu d'artifice
Avec un peu d'espace entre les tirs

Mais on t'appelle, tu redescends,
[et tu regrettes
Ce corps d'étoiles légères

Catherine Leblanc

LE PAYS DES LIVRES DE CONTES

Au soir, la lampe est allumée,
Mes parents assis près du feu,
Assis, à parler, à chanter, –
Mais ils ne jouent à aucun jeu.

Armé de mon petit fusil,
Le long des murs noirs, en rampant,
Je prends la piste, je la suis,
Jusque derrière le divan.

Là, dans la nuit, nul ne m'épie
Au camp du chasseur, étendu,
Je joue aux livres que j'ai lus,
Jusqu'à l'heure d'aller au lit.

Là sont les monts, là les forêts,
Mes solitudes étoilées,
Et là se trouve la rivière
Où les lions se désaltèrent.

Je vois les autres au lointain,
Comme assis près d'un feu de camp,
Et tel un éclaireur indien,
Autour d'eux je passe en rôdant.

Et quand Nounou vient me chercher,
À travers les mers je remonte ;
Puis rejoins mon lit pour rêver
Au pays des livres de contes.

Robert Louis Stevenson

UNE PIERRE

Viens, que je te dise à voix basse
Un enfant dont je me souviens,
Immobile comme il resta
À distance des autres vies.

Il n'a pas rejoint au matin
Ceux qui jouaient dans les arbres
À multiplier l'univers,
Ni couru à travers la plage
Vers plus de lumière encore.

Vois, pourtant, il a continué
Son chemin au pied de la dune,
Des traces de pas en sont preuves
Entre les chardons et la mer.

Et près d'eux tu peux voir s'emplir
De l'eau qui double le ciel
L'empreinte des pas plus larges
D'une compagne inconnue.

Yves Bonnefoy

La belle vie

Quand la vie a fini de jouer
la mort remet tout en place

La vie s'amuse
la mort fait le ménage
peut importe la poussière
[qu'elle cache sous le tapis

Il y a tant de belles choses qu'elle oublie.

Jacques Prévert

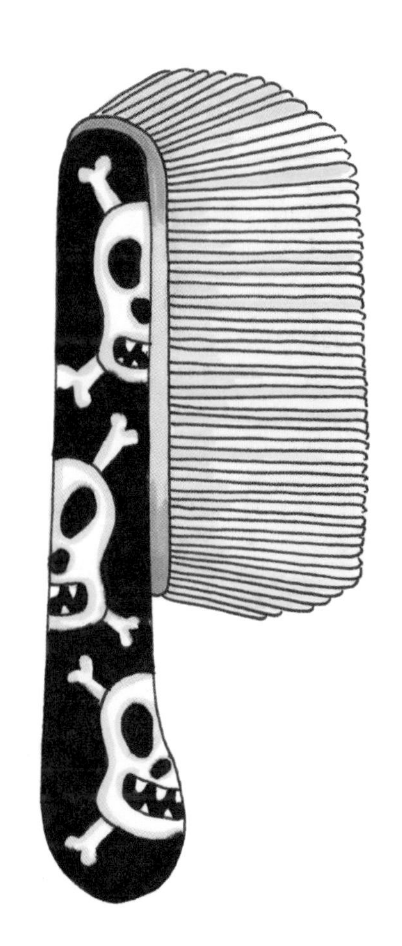

Les mystères du télégraphe

(…) Vous serez grandes personnes
ne jouant plus à la marelle
répondant au téléphone
n'ayant plus la varicelle
Vous porterez des moustaches
et ne mettrez plus l'oreille
aux poteaux du télégraphe
qui bredouillent leurs merveilles
mais nous laissent en carafe
entre demain et la veille.

Claude Roy

AU LECTEUR

Comme de la maison votre maman
Vous regarde jouer dans le jardin,
Vous pourrez voir, si vous le voulez bien,
Sur les fenêtres de ce livre vous penchant,

Un autre enfant au loin, très loin,
Et dans un autre jardin, s'amusant.
Mais n'imaginez pas surtout,
Si vous frappez doucement aux carreaux,
Qu'il se retournera vers vous.
Bien trop absorbé par ses jeux et ses travaux,
Il n'entend rien et ne vous verra pas,
Pas plus que hors de son livre il ne pourra
Être attiré. Car il y a déjà longtemps
Que je l'ai vu grandir et s'en aller,
Et ce n'est plus qu'à peine, au détour d'une
[allée,
Le souffle frêle d'un enfant,
En ce jardin perdu, tout là-bas, s'attardant.

Robert Louis Stevenson

Rengaine pour piano mécanique

(Comme un rémouleur superbe et désabusé.)

Dépêche-toi de rire
il en est encor temps
bientôt la poêle à frire
et adieu le beau temps.(...)

Jean Tardieu

LES JEUX SONT FAITS, RIEN NE VA PLUS !

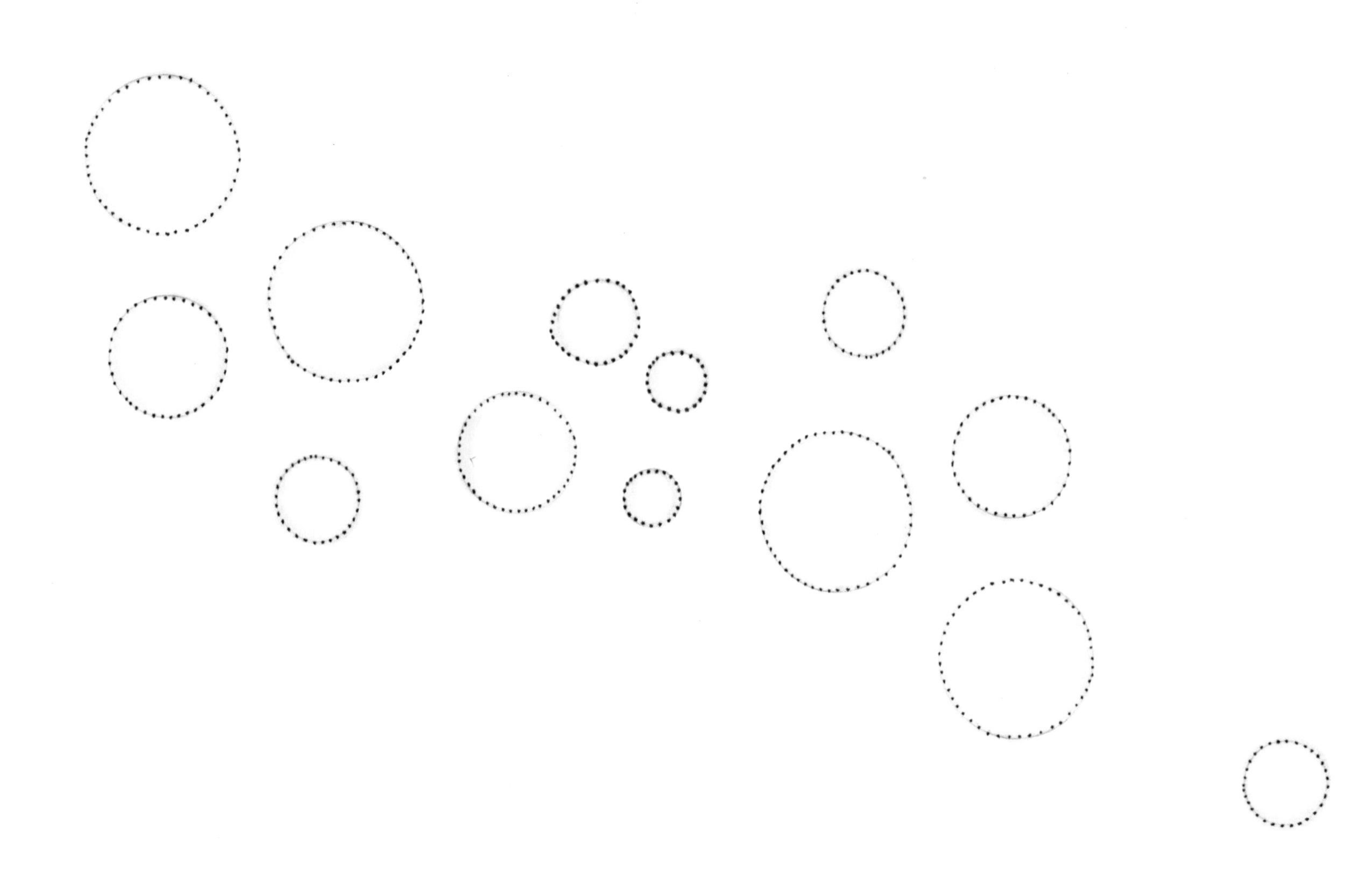